Les comptines
jaunes des
petits lascars

Michèle Garabédian • **Magdeleine Lerasle**
Enseignants-chercheurs à l'École Normale Supérieure de Fontenay-Saint-Cloud

Françoise Pétreault
Inspectrice de l'Éducation Nationale

Illustrations : **Joëlle Boucher**

Didier Jeunesse

à la tresse

Ah ! la tresse,
Jolie tresse.
Mon papa est cordonnier,
Ma maman fait des souliers.
Ma petite soeur est demoiselle,
Tirez la ficelle !
Mon petit frère est polisson,
Tirez le cordon !

2

L'omelette est dans le plat,
Tourne de ci, tourne de là !
C'est la mère Nicolas
Qui bat les œufs
Pour l'omelette (...)

scions, scions du bois

Scions, scions, scions du bois,
Pour la mère, pour la mère,
Scions, scions, scions du bois,
Pour la mère Nicolas !

Scions, scions, scions le bois,
À la mère Nicolas
Qui a cassé ses sabots,
En mille morceaux.
«Voilà les morceaux !
You !»

y'a une pie

Y'a une pie
Dans l'poirier, Peartree
J'entends la pie
Qui chante.
Y'a une pie
Dans l'poirier,
J'entends la pie chanter.
don't understand
J'entends, j'entends,
J'entends la pie qui chante,
J'entends, j'entends,
J'entends la pie chanter.

Araignée du soir, espoir !
Araignée du matin, chagrin !
La pluie est en chemin !

Colimaçon borgne,
Montre-moi tes cornes.
Si tu ne les montres pas,
Je te mets la tête en bas.

Coccinelle vole,
Ton père est à l'école,
Ta mère va mourir,
Va vite la secourir.

une araignée

Sur le plancher, une araignée
Se tricotait des bottes.
Dans un flacon, un limaçon
Enfilait sa culotte.

J'aperçois au ciel,
Une mouche à miel,
Pinçant sa guitare.
Les rats tout confus,
Sonnaient l'angélus,
Au son de la fanfare.

au feu les pompiers

Au feu les pompiers, la maison qui brûle,
Au feu les pompiers, la maison brûlée.

C'est pas moi qui l'ai brûlée,
  C'est mon oncle Jules,
C'est pas moi qui l'ai brûlée,
  C'est mon oncle André.

Paim pon !

  Paim pon !

    Paim pon !

bobi, boba

Bobi, boba,
Certificat
De bonne étude,
En ajoutant,
Premièrement,

La main au front,
Citron,
À la poitrine,
Mandarine,

Au dos,
Berlingot,
Au genou,
Hibou,

Au bout du pied,
Pompier,
Petit soleil,
Grand soleil,

Un,

Deux,

Trois !

KLING !!!

le palais royal

Le palais royal est un beau quartier,
Toutes les jeunes filles sont à marier.
Mademoiselle Julie est la préférée
De Monsieur David qui veut l'épouser.

Si c'est oui, c'est de l'espérance.
Si c'est non, c'est de la souffrance.

Dis-moi oui, dis-moi non,
Dis-moi si tu m'aimes.
Dis-moi oui, dis-moi non,
Dis-moi oui ou non.

le vitrier

«Vitrier ! Vitrier !»
Encore un carreau d'cassé !
V'la l'vitrier qui passe.
Encore un carreau d'cassé !
V'la l'vitrier passé.

V'la l'vitrier, *(bis)*
V'la l'vitrier qui passe,
V'la l'vitrier, *(bis)*
V'la l'vitrier passé.

les crocodiles

Un crocodile s'en allant à la guerre,
Disait au revoir à ses petits enfants.
Traînant ses pieds, ses pieds dans
                                        la poussière,
Il s'en allait combattre les éléphants.

Refrain
Ah ! Les cro cro cro, les cro cro cro,
                              les crocodiles,
Sur les bords du Nil,
Ils sont partis, n'en parlons plus. *(bis)*

Il fredonnait une marche militaire,
Dont il mâchait les mots à grosses dents.
Quand il ouvrait la gueule toute entière,
On croyait voir ses ennemis dedans...

Refrain

Il agitait sa grand' queue à l'arrière,
Comme s'il était d'avance triomphant.
Les animaux devant sa mine altière,
Dans la forêt, s'enfuyaient tout tremblants...

Refrain

Un éléphant parut et sur la terre,
Se prépara ce combat de géants.
Mais près de là courait une rivière,
Le crocodile s'y jeta subitement...

Refrain

Et, tout rempli d'une crainte salutaire,
S'en retourna vers ses petits enfants.
Notre éléphant d'une trompe plus fière,
Voulut alors accompagner ce chant.

14

Greli, grelot,
Combien de pierres dans mon sabot ?

– Quatre !
– Perdu !
– Trois !
– Gagné !

Sancta fémina goda,
Caracas et Quito,
Cachez un poing derrière votre dos !

Poing féminin godin,
Caracas, saint Guino,
Cachez un poing derrière votre dos !

tous les légumes

Tous les légumes,
Au clair de lune,
Étaient en train de s'amuser !

Ils s'amusaient,
Tant qu'ils pouvaient,
Et les passants les regardaient !

Un potiron tournait en rond,
Un artichaut allait au petit trot.
Un salsifis valsait sans bruit,
Et un chou-fleur se dandinait avec ardeur !

L'eusses-tu cru ?
Sous les grands arbres ombragés
Volait une estelle.
Vos laitues naissent-elles ?
Si vos laitues naissent,
Vos navets naissent aussi.
Les laitues naissent-elles laitues ? Le sais-tu ?

le roi Dagobert

Le bon roi Dagobert
A mis sa culotte à l'envers ;
Le grand Saint-Éloi
Lui dit : Ô mon roi !
Votre Majesté
Est mal culottée !
C'est vrai, lui dit le roi,
Je vais la remettre à l'endroit.

Le bon roi Dagobert
Fut mettre son bel habit vert. (...)
Votre habit paré
Au coude est percé. (...)
Le tien est bon, prête-le moi.

Le bon roi Dagobert
Faisait peu sa barbe en hiver. (...)
Il faut du savon
Pour votre menton. (...)
As-tu des sous, prête-les moi.

Du bon roi Dagobert
La perruque était de travers. (...)
Que le perruquier
Vous a mal coiffé ! (...)
Je prends ta tignasse pour moi.

Le bon roi Dagobert
Chassait dans la plaine d'Anvers. (...)
Votre Majesté
Est bien essoufflée ! (...)
Un lapin courait après moi.

Le bon roi Dagobert
Avait un grand sabre de fer. (...)
Votre Majesté
Pourrait se blesser. (...)
Donne-moi un sabre de bois.

Le bon roi Dagobert
Voulait s'embarquer sur la mer. (…)
Votre Majesté
Se fera noyer. (…)
On pourra crier : le roi boit !

Quand Dagobert mourut,
Le diable aussitôt accourut. (…)
Satan va passer,
Faut vous confesser.
Hélas ! lui dit le roi,
Ne pourrais-tu mourir pour moi ?

le carillon de Vendôme

Mes amis, que reste-t-il à ce dauphin si gentil ?
Orléans, Beaugency, Notre-Dame-de-Cléry,
Vendôme, Vendôme.

19

le grand cerf

Dans sa maison un grand cerf,
Regardait par la fenêtre,
Un lapin venir à lui,
Et frapper à l'huis.
– Cerf ! cerf ! ouvre-moi !
Ou le chasseur me tuera !
– Lapin, lapin, entre et viens,
Me serrer la main.

Ton thé t'a-t'il ôté ta toux ?
Ta toux, t'a-t'il ôté, ton thé ?
T'a-t'il ôté, ton thé, ta toux ?
Ton thé, ta toux,
T'a-t'il ôté ta toux, ton thé ?

À la salade,
Je suis malade.
Au céleri,
Je suis guérie.
– Bonjour, Madame.
  Comment ça va ?
– Ça va pas fort.
– Et votre mari ?
– Il est mort.

chat vit rôt

Écoutez l'histoire
Du chat qui vit rôt.
Chat vit rôt, *(bis)*
Chat mit patte à rôt,
Rôt brûla patte à chat,
Patte à chat quitta rôt.
«Maudit rôt !» *(bis)*
Dit chat qui vit rôt.

mon père m'a donné un mari

Mon père m'a donné un mari.
Mon Dieu quel homme, quel petit homme !
Mon père m'a donné un mari.
Mon Dieu quel homme, qu'il est petit !

D'une feuille d'arbre on fit son habit (…)

Dedans mon lit, je le perdis (…)

Le chat le prit pour une souris (…)

«Au chat ! Au chat ! C'est mon mari !» (…)

J'prends la chandelle, j'cherche après lui (…

Le feu à la paillasse prit (…)

Mon pauv' p'tit mari fut rôti (…)

Jamais d'ma vie, je n'ai tant ri (…)

Et pour m'consoler, je me dis :
    «Mon père m'a donné un mari !»

un berger dans son pré

Un berger dans son pré, *(bis)*
Ohé ! Ohé ! Ohé ! Un berger dans son pré.

Le berger prend sa femme (...)

La femme prend son enfant (...)

L'enfant prend sa nourrice (...)

La nourrice prend son chien (...)

Le chien prend son p'tit chat (...)

Le chat prend la souris (...)

La souris prend le fromage (...)

Le fromage est battu (...)

voilà du bon fromage

Ah ! Mesdames, voilà du bon fromage,
Voilà du bon fromage au lait.
Il est du pays de celui qui l'a fait.
Celui qui l'a fait, il est de mon village.

À la tresse (p. 2)

À la tres - se, Jo - lie tres - se.

Mon pa - pa est cor - don - nier, Ma ma - man fait des sou - liers.

Ma p'tite sœur est de - moi - selle, Ti - rez la fi - celle ! _____
Mon p'tit frère est po - lis - son, Ti - rez le cordon ! _____

Scions, scions du bois (p. 2)

Scions, scions, scions du bois, Pour la mè - re,

pour la mè - re, Scions, scions, scions du bois,

Pour la mè - re Ni - co - las !

Scions, sci - ons, sci - ons le bois, À la mè - re

Ni - co - las Qui a cas - sé ses sa - bots

En mil - le mor - ceaux. "Voi - là les mor - ceaux ! You !"

Y'a une pie (p. 4)

Y'a une pie Dans l'poi - rier, j'entends la pie Qui

chan - te. Y'a une pie Dans l'poi - rier,

J'en - tends la pie chan - ter. J'en - tends, j'en -
- tends, j'en -

- tends, J'en - tends la pie qui chan - te. J'en -
- tends, J'en - tends la pie chan - - ter.

Une araignée (p. 6)

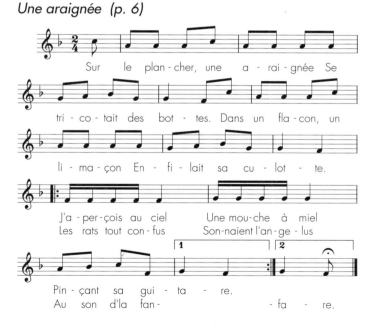

Sur le plan - cher, une a - rai - gnée Se

tri - co - tait des bot - tes. Dans un fla - con, un

li - ma - çon En - fi - lait sa cu - lot - te.

J'a - per - çois au ciel Une mou - che à miel
Les rats tout con - fus Son - naient l'an - ge - lus

Pin - çant sa gui - ta - re.
Au son d'la fan - - fa - re.

28

Au feu les pompiers *(p. 8)*

Au feu les pom - piers,
Au feu les pom - piers,

la mai - son qui brû - le,
la mai - son brû - - lée.

C'est pas moi qui l'ai brû - lée,
C'est pas moi qui l'ai brû - lée,

c'est mon on - cle Ju - les,
c'est mon on - cle An - - dré.

Le vitrier *(p. 10)*

En - core un car - reau d'cas - sé !
En - core un car - reau d'cas - sé !

V'la l'vi - tri - er qui pas - se.
V'là l'vi - tri - er pas - - sé.

V'là l'vi - tri - er, V'là l'vi - tri - er,
V'là l'vi - tri - er, V'là l'vi - tri - er,

V'là l'vi - tri - er qui pas - se.
V'là l'vi - tri - er pas - - sé.

Le palais royal *(p. 10)*

Le pa - lais ro - yal est un beau quar - tier,
Mad'moiselle Ju - lie est la pré - fé - rée

Toutes les jeu - nes filles sont à ma - ri - er.
De mon - sieur Da - vid qui veut l'é - pou - ser.

Si c'est oui, c'est de l'es - pé -
Si c'est non, c'est de la souf -

- ran - ce. Dis moi oui, dis moi non,
- fran - ce. Dis moi oui, dis moi non,

Dis moi si tu m'ai - mes.
Dis moi oui ou non.

Les crocodiles *(p. 12)*

Un cro - co - dile s'en al - lant à la guer - re,
Traî - nant ses pieds, ses pieds dans la pous - siè - re,

Di - sait au - revoir à ses pe - tits en - fants.
Il s'en al - lait com - battre les é - lé - phants.

Ah! les cro - cro - cro, les cro - cro - cro, les cro - co -

- di - les, Sur les bords du Nil, Ils sont par -

- tis, n'en par - lons plus. plus.

Sancta fémina goda (p. 14)

San-cta fé-mi-na go-da, Ca-ra-cas, et Qui-to,

Ca-chez un poing der-rière votre dos !

Tous les légumes (p. 16)

Tous les lé-gu- mes, Au clair de lu -
Ils s'a-mu-saient hé ! Tant qu'ils pou-vaient

-ne, É-taient en train de s'a-mu-ser. hé !
hé ! Et les pas-sants les re-gar-daient.

Un po-ti-ron, tour-nait en rond,

Un ar-ti-chaut al-lait au pe-tit trot,

Un sal-si-fis val-sait sans bruit,

Et un chou-fleur se dan-di-nait a-vec ar-deur-eur.

Le roi Dagobert (p. 18)

Le bon roi Da-go-bert A mis sa cu-lotte à l'en-

-vers ; Le grand saint E-loi Lui dit : O mon roi ! Vo-tre

ma-jes-té Est mal cu-lot-tée ; C'est vrai lui dit le

roi, Je vais la re mettre à l'en-droit.

Le carillon de Vendôme (p. 18)

Mes a-mis, que res-te-t-il à ce

dau-phin si gen-til ? Or-lé-ans,

Beau-gen-cy, No-tre Da-me de Clé-

-ry, Ven-dô-me, Ven-dô-me...